호기심 가득한 신세계 탐험동화 (영한)

제임스의 환상적인 모험
James' Fantastic Adventure

저자 : 조옥남

발 행 | 2024년 2월 23일

저 자 | 조옥남

펴낸이 | 한건희

펴낸곳 | 주식회사 부크크

출판사등록 | 2014.07.15(제2014-16호)

주 소 | 서울특별시 금천구 가산디지털1로 119

　　　　SK트윈타워 A동 305호

전 화 | 1670-8316

이메일 | info@bookk.co.kr

ISBN | 979-11-410-7347-3

www.bookk.co.kr

제임스의 환상적인 모험

James` Fantastic Adventure

3

Author Jo Oknam

♣ E-book Writer
♣ Children`s book Author
♣ E-book Guide

Jo Oknam is an e-book and fairy tale author who collaborates with ChatGPT and Midjourney to create unique and captivating stories. She has obtained the qualification of an e-book guide, possessing specialized knowledge in the production and publication of e-books.

Many of her works stimulate imagination and impart various experiences and lessons to young dreamers. She is passionately active in making the threshold of becoming a writer more accessible and strives to promote her works to a wider audience.

♣ Works:
《Sunshine Stationery Tales》
– E-book on U-Paper
《James's Special Journey》(English-Korean)
– E-book on U-Paper
《James's Fantastic Adventure》(English-Korean)
– E-book on U-Paper
《James's Special Journey》(English-Korean)
– Paperback by Bookk

♣ Blog: Full of Sunshine.

저자 조옥남

♣전자책 작가
♣동화책 작가
♣전자책 지도사

전자책과 동화책 작가로서, ChatGPT와 Midjourney와의 협업을 통해 독특하고 매력적인 이야기를 창작하고 있습니다. 전자책 지도사 자격증을 취득하고 전자책의 제작과 출간에 대한 전문 지식을 보유하고 있습니다.
많은 작품들은 상상력을 자극하고 꿈나무들에게 다양한 경험과 교훈을 전달합니다. 또한 작가의 문턱을 쉽게 넘을 수 있도록 열정적으로 활동하며 많은 이들에게 작품을 알리려고 하고 있습니다.

♣저서 :
《햇살문구이야기》 유페이퍼 전자책
《제임스의 특별한 여행 (영한)》 유페이퍼 전자책
《제임스의 환상적인 모험(영한)》 유페이퍼 전자책
《제임스의 특별한 여행(영한)》부크크 종이책

♣블로그 : 햇살가득.

Prologue:

 Since his childhood, young James has always been deeply immersed in his imagination. The adventures and mysterious stories he dreamed of always ignited his heart with excitement. One day, his life became filled with unexpected adventures. It all began with a chance discovery. James stumbled upon a hidden cave deep in the forest, where he found ancient murals. These murals sparked his imagination, containing countless stories. They became a doorway to a new world for James, and his adventure began. This book follows James's journey of discovery, adventure, and the power of imagination as we explore the wonders that we can encounter in our everyday lives. Join James as we unfold our imagination together.

프롤로그:

　소년 제임스는 항상 자신의 상상력에 푹 빠져 살아왔습니다. 어릴 적부터 꿈꾸던 모험과 신비로운 이야기들은 그의 마음을 항상 뜨겁게 만들었습니다. 어느 날, 그의 삶은 기대도 못했던 모험으로 가득 차게 되었습니다. 그 모험은 우연한 발견으로 시작되었습니다. 숲 속 깊은 곳에 숨겨진 동굴을 발견한 제임스는 그곳에서 옛 벽화를 발견했습니다. 벽화는 그의 상상력을 자극하며 무수한 이야기를 품고 있었습니다. 그것은 제임스에게 새로운 세계를 여는 문이 되었고, 그의 모험은 시작되었습니다. 이 책은 제임스의 모험과 발견, 상상력의 힘을 따라가며 우리가 일상에서 발견할 수 있는 신비로움을 탐험합니다. 제임스와 함께하며 우리의 상상력을 펼쳐보세요.

Table of Contents

챕터 1: 잃어버린 동굴

James는 숲 속에 숨겨진 동굴을 발견했어요. "여기에 뭐가 있을까?" 그는 호기심이 생겼어요. 동굴 안에서 James는 고대의 벽화를 발견했어요. "이건 옛날 사람들의 이야기 같아!" James가 말했어요. 동굴 탐험은 James에게 과거로 시간을 여행하게 했어요.

James discovered a hidden cave in the forest. "What could be here?" he wondered, his curiosity piqued. Inside the cave, James found ancient murals. "These seem like stories of ancient people!" he remarked. Exploring the cave took James on a time-traveling adventure into the past.

Chapter 2: Pirate Ship's Treasure

챕터 2: 해적선의 보물

On the beach, James discovered an old pirate ship. "There must be hidden treasure here!" James exclaimed with excitement. Inside the pirate ship, he found an ancient map. "Let's find the treasure using this!" James said eagerly. The treasure hunt adventure brought joyful moments to James.

해변에서 James는 낡은 해적선을 발견했어요. "여기에 보물이 숨겨져 있을 거야!" James는 흥분했어요. 해적선 안에서 그는 오래된 지도를 찾았어요. "이걸로 보물을 찾자!" James가 신이나서 크게 말했어요. 보물 찾기 모험은 James에게 즐거운 시간을 만들어 주었어요.

Chapter 3: Magical Forest

챕터 3: 마법의 숲

James embarked on a journey into the enchanted forest. The forest was filled with mysterious creatures. "This place truly feels magical!" James exclaimed in awe. In the heart of the forest, he encountered a wizard. "I will teach you magic," said the wizard. The magical world opened up endless possibilities for James.

James은 마법의 숲으로 여행을 떠났어요. 숲은 신비로운 생물들로 가득했어요."여기는 정말 마법 같아!" James는 감탄했어요. 숲속에서 그는 마법사를 만났어요.

"너에게 마법을 가르쳐 줄게." 마법사가 말했어요. 마법의 세계는 James에게 무한한 상상력을 가져다 주었어요.

Chapter 4: Brave Rescue TeamIn

챕터 4: 나는 용감한 구조대

In the forest, James discovered a baby deer in a dangerous situation. "I have to help!" James thought. He safely escorted the fawn to a secure location. "You are safe now," James reassured the baby deer. The experience of rescuing the deer taught James about responsibility and courage.

James는 숲에서 위험한 곳에 있는 아기 사슴을 발견했어요. '내가 도와줘야 해!' James가 생각했어요. 사슴을 안전한 곳으로 데려 갔어요. "넌 이제 안전해." James가 아기 사슴을 위로했어요. James가 아니였으면 새끼 사슴은 큰일 날뻔 했어요. 사슴을 구한 경험은 James에게 책임감과 용기의 중요성을 가르쳐 주었어요.

Chapter 5: The Door of Time

챕터 5: 시간의 문

James stumbled upon a door that could manipulate time. "Should I go to the past or the future?" James decided to journey into the future. The world of the future was filled with astonishing technology. "Could we live in a world like this?" James wondered. Time travel gave James a new perspective on the vastness of time.

James는 시간을 여행하는 문을 발견했어요. "과거로 갈까, 미래로 갈까?" James는 미래로의 여행을 결정했어요. 미래의 세계는 놀라운 기술로 가득했어요. "우리도 이런 세상에 살 수 있을까?" James는 무척 궁금 했어요. 시간 여행은 James에게 새로운 꿈을 심어 주었어요.

29

Chapter 6: Thoughtful Decision

챕터 6: 신중한 결정

While time-traveling, James found himself momentarily confused. "I had been thinking of going to the future, but I've come to realize just how important the present moment is," James muttered to himself. He was frustrated with his impulse to travel to the future. Resolved, James made a mental note to prioritize the current time in his next journey. He realized that he needed to approach everything with more careful consideration.

시간 여행을 하던 James는 잠시 혼란에 빠졌어요. "미래로 가려고 생각을 했었는데, 현재의 시간이 아주 중요함을 깨닫게 되었어요. James은 미래로 여행에 화가 났어요. James는 다음번 여행에서는 꼭 현재의 여행시간을 많이 만들어야겠다고 생각했어요. James는 모든일은 좀더 신중하게 결정해야 한다는걸 깨닫게 되었어요.

Chapter 7: Island of Dreams

챕터 7: 꿈의 섬

James arrived at an island of dreams. The island was filled with strange creatures and fantastical landscapes. "This place is like a dream!" James said. On the island, he discovered his own dreams. "I will become an adventurer!" James declared. The dream island inspired James to pursue his own dreams of adventure.

James는 꿈꾸는 섬에 도착했어요. 섬은 이상한 생물과 환상적인 풍경으로 가득했어요. "이곳은 마치 꿈속 같아!" James는 말했어요. 섬에서 James는 자신의 꿈을 발견했어요. "나는 모험가가 될 거야!" James가 크게 말했어요. 꿈의 섬은 James에게 모험가라는 자신만의 꿈을 갖게 했어요.

Chapter 8: Space Station

챕터 8: 우주 정거장

With the dream of being an adventurer, James reached a space station. "Space is truly infinite!" James marveled at the vastness of the universe. While looking down at Earth from space, he was deeply moved. "Our home is down there!" James pointed at Earth. Space travel gave James a new understanding of the universe.

모험가의 꿈을 지닌 James는 우주 정거장에 도착했어요. "우주는 정말 무한해!" James가 감탄했어요. 그는 우주에서 지구를 바라보며 감동했어요. "우리 집이 저기 있네!" James가 지구를 가리키며 말했어요. 우주여행은 James에게 새로운 시각을 만들어 주었어요.

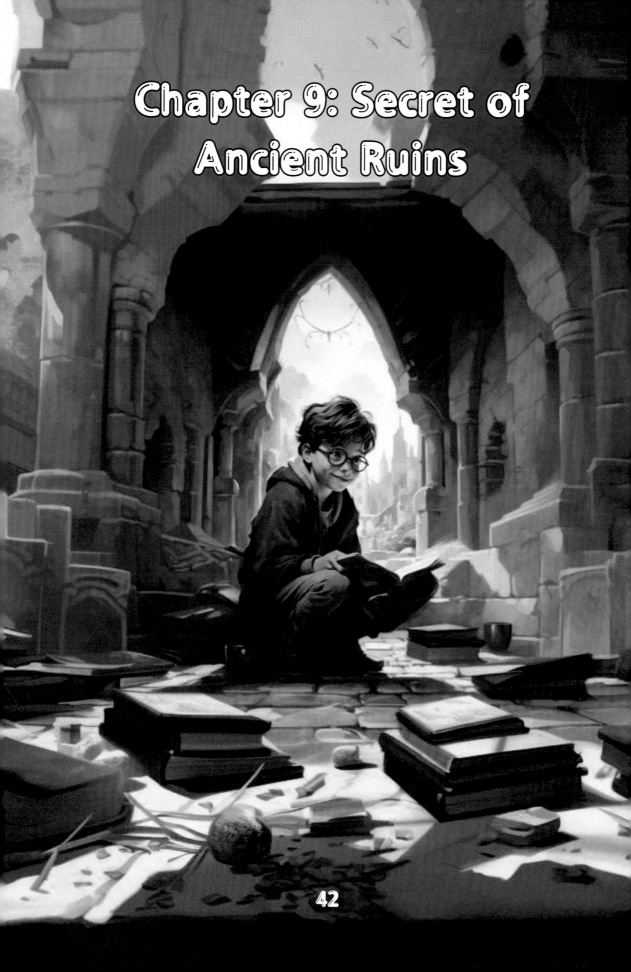

Chapter 9: Secret of Ancient Ruins

챕터 9: 고대 유적의 비밀

James explored ancient ruins. "What happened here?" James wondered. Inside the ruins, he discovered ancient documents. "These are stories from the past!" James exclaimed. Exploring the ancient ruins helped James see the connection between the past and the present.

James는 고대 유적을 탐험했어요. "여기에 무슨 일이 있었을까?" James는 궁금 했어요. 유적에서 James는 오래된 문서를 발견했어요. "이건 살아있는 옛날 이야기야!" James가 말했어요. 고대 유적을 탐험하면서 James는 과거와 현재가 어떻게 연결되는지를 알 수 있었어요.

Chapter 10: Exploration of the Unknown Island

챕터 10: 미지의 섬 탐험

James discovered an uncharted island not marked on any maps. "Where could this be?" James wondered. On the island, he encountered rare animals and mysterious plants. "This place is truly special!" James remarked. The adventure on the uncharted island allowed James to discover new things.

James는 지도에 없는 미지의 섬을 발견했어요. "여기가 어디쯤일까?" James는 궁금했어요. 섬에서 James는 희귀한 동물들과 신비한 식물들을 만났어요. "이곳은 정말 특별해!" James가 말했어요. 섬에서의 모험은 James에게 새로운 것을 발견하게 했어요.

49

Chapter 11: Hourglass of Time

챕터 11: 시간의 모래시계

James found an hourglass that could control time. "What can I do with this?" James thought. Using the hourglass, James experienced important moments from the past. "We are part of history!" James exclaimed. Time travel made James realize the preciousness of life.

James는 시간을 조절할 수 있는 모래시계를 찾았어요. "이걸로 무엇을 할 수 있을까?" James가 생각했어요. 모래시계를 이용해서, James는 과거의 중요한 순간들을 경험했어요. "우리는 역사의 일부야!" James가 감탄하며 말했어요. 시간 여행은 James에게 삶의 소중함을 깨닫게 했어요.

Chapter 12: Hidden Cave of the Dragon

챕터 12: 용의 숨겨진 동굴

While time traveling, James explored a cave where a dragon lived. "A real dragon!" James said loudly. The dragon conveyed messages of wisdom and courage to him. "You are truly brave," the dragon said. The encounter with the dragon left a lasting impression on James.

시간 여행을 하던 James는 동굴을 탐험하게 됐어요. James는 동굴 속에 용이 살고 있는 곳을 발견했어요. "진짜 용이 있어!" James가 큰 소리로 말했어요. 용은 그에게 지혜와 용기의 메시지를 전달했어요. "너는 정말 용감하구나." 용이 말했어요. 용과의 만남은 James에게 잊지 못 할 순간으로 남게 되었어요.

Chapter 13: Enchanted Forest's Fairies

챕터 13: 신비한 숲의 요정

In the mystical forest, James discovered a village of fairies. "This place is a magical world!" James was overjoyed. The fairies taught James how to protect the forest. "We must love and protect nature," James said. The forest experience taught James the importance of environmental conservation.

60

신비한 숲에서, James는 요정들의 마을을 발견했어요. "이곳은 마법의 세계야!" James는 너무나 기뻤어요. 요정들은 James에게 숲을 보호하는 방법을 가르쳐주었어요. "자연을 사랑하고 보호해야 해." James가 말했어요. 숲에서의 경험은 James에게 환경 보호의 중요성을 일깨워 주었어요.

Chapter 14: City of Lights

챕터 14: 빛의 도시

While walking out of the forest, James discovered a city illuminated by lights in the night sky. "What place is this?" James became curious. In the dazzling city, James experienced futuristic technology. "It would be great if our world had this technology!" James said. The City of Lights filled James with hope for the future.

숲에서 나와 길을 걷던 James는 밤하늘에 빛나는 도시를 발견했어요. "저기는 어떤 곳일까?" James는 호기심이 생겼어요. 빛나는 도시에서 James는 미래의 기술을 경험했어요." 이런 기술이 우리 세계에도 있으면 좋겠어!" James가 말했어요. 빛의 도시는 James에게 미래에 대한 희망을 불러일으켰어요.

Chapter 15: Secrets of the Deep Sea

챕터 15: 심해의 비밀

Pursuing his dream of being an adventurer, James undertook deep-sea exploration. During the exploration, he could discover the traces of an underwater hot spring in the Atlantic Ocean. "This place has the remains of a lost city found in the deep sea!" He immersed himself in the exploration. Exploring the lost city, James learned about ancient cultures and their connection to the present.

68

모험가의 꿈을 지닌 James는 심해 탐사를 하게 됐어요. 탐사하던 도중에 James는 '잃어버린 도시'를 발견할 수 있었어요. "이곳은 대서양 심해에서 발견된 해저 온천의 흔적이야!" 그는 탐험에 열중했어요. 잃어버린 도시에서 James는 고대 문화에 대해 배울 수 있었어요. 심해의 도시는 James에게 과거와 현재의 연결고리를 보여주었어요.

Chapter 16: Boy from the Stars

챕터 16: 별에서 온 소년

Upon returning from the deep-sea exploration, James developed an interest in the stars floating in the sky. While making a wish upon a shooting star, James encountered a boy from the stars. "I come from a different planet," said the star boy. The star boy shared tales of the universe with James. "The universe is truly mysterious!" James marveled.

심해 탐사 여행에서 돌아온 James는 하늘에 떠있는 별에 관심을 갖게 됐어요. 별똥별을 보며 소원을 빌던 중, James는 별에서 온 소년을 만났어요. "나는 다른 행성에서 왔어." 별에서 온 소년이 말했어요. 별소년은 James에게 우주에 대한 이야기를 들려주었어요. "우주는 너무나도 신비로워!" James는 감탄했어요. 별에서 온 소년은 James에게 우주의 광대함을 깨닫게 해주었어요.

Chapter 17: Mystery of the Vanished Village

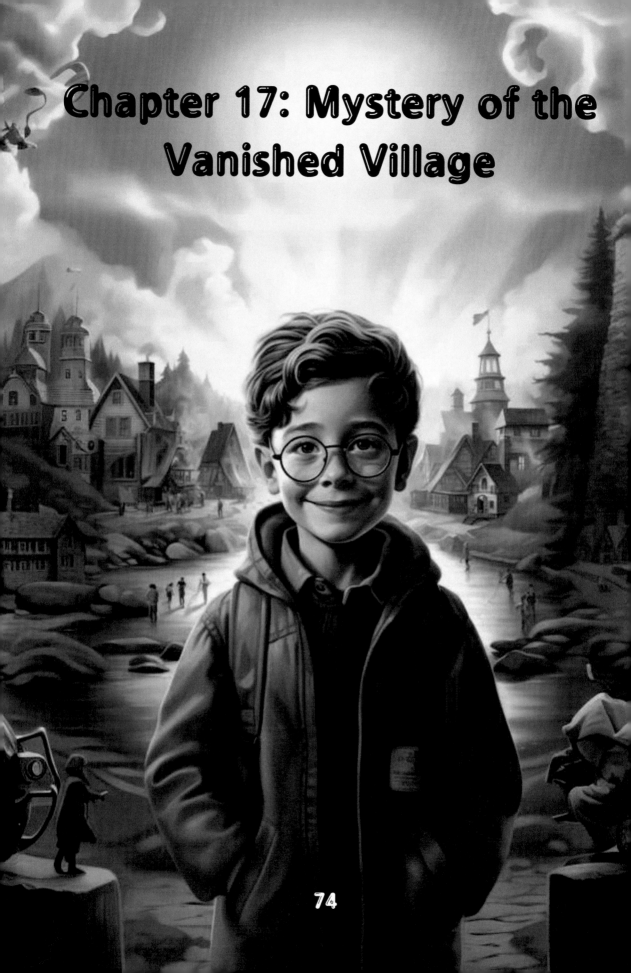

챕터 17: 사라진 마을의 미스터리

Exploring the vanished village, James began unraveling its mysteries. "What happened here?" James became curious. In the vanished village, the child discovered old diaries and artifacts. "These are the keys to unlocking the secrets!" James said. The mystery of the vanished village captivated James's interest.

사라진 마을을 탐험하던 중, James는 미스터리를 풀기 시작했어요. "여기에서 무슨 일이 있었던 걸까?" James는 의문이 생겼어요. 아이는 사라진 마을에서 오래된 일기와 유물들을 발견했어요. "이것들이 비밀을 풀 열쇠야!" James가 말했어요. 사라진 마을의 비밀은 James의 흥미를 끌었어요.

Chapter 18: Spacecraft Exploration

챕터 18: 우주선 탐험

While exploring the vanished village, James found a spaceship and embarked on a space exploration. "Where should we go aboard the spaceship?" James felt excitement in his heart. Inside the spacecraft, James visited various planets. "This place is amazing!" James said with sparkling eyes. Space exploration provided James with new knowledge and experiences.

사라진 마을을 탐험하던 James는 우주선을 발견해 우주 탐험을 시작했어요. "우주선을 타고 어디로 갈까?" James는 마음이 설레였어요. 우주선 안에서 James는 다양한 행성을 방문했어요. "이곳은 정말 놀라워!" James가 눈을 빛내며 말했어요. 우주선 탐험은 James에게 새로운 지식과 경험을 제공했어요.

Chapter 19: Night in the Enchanted Forest

챕터 19: 환상의 숲에서의 밤

Magical experience. "The forest becomes even more beautiful at night," James exclaimed. In the forest, the child encountered luminescent plants and animals that could communicate. "This place is truly a magical world," James said. The night in the fantasy forest left unforgettable memories for the young adventurer.

사라진 마을에 있는 환상의 숲에서 밤을 보낸 James는 신비한 경험을 했어요. "이 숲은 밤에 더 아름다워져." James가 탄성을 질렀어요. 숲에서 James는 빛나는 식물과 말하는 동물들을 만났어요. "이곳은 마법의 세계야." James가 말했어요. 환상의 숲에서의 밤은 James에게 의미있는 추억으로 남았어요.

Chapter 20: Journey to the Land of Dreams

챕터 20 꿈의 나라로의 여행

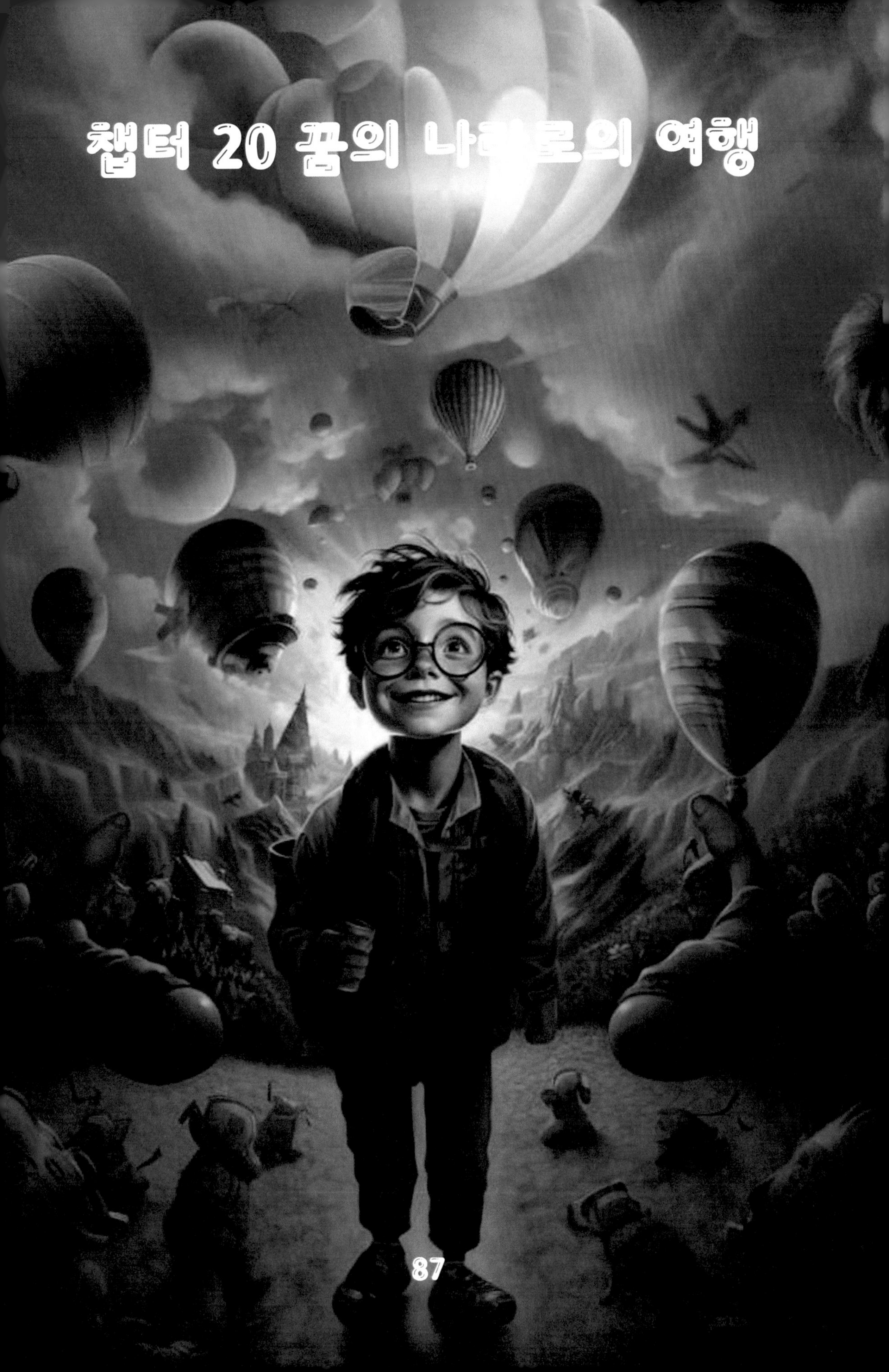

Embarking on a journey to the land of dreams, the child experienced fantastical adventures. "Here, everything is possible!" James rejoiced. In the land of dreams, the child turned imagination into reality. "Our imagination is limitless!" James proclaimed. The land of dreams taught James the importance of creativity.

꿈의 나라로 여행을 떠난 James는 환상적인 모험을 경험했어요. "여기는 모든 게 가능해!" James가 기뻐했어요. 꿈의 나라에서 James는 자신의 상상을 현실로 만들었어요. "우리의 상상은 무한해!" James가 말했어요. 꿈의 나라는 James에게 창의력의 중요성을 가르쳐 주었어요.

에필로그:

James의 모험은 재미있게 끝이 났습니다. James가 경험한 모든 것은 그의 삶에 영원한 흔적을 남겼습니다. 그는 용기와 상상력을 통해 세상을 더 넓게 바라보게 되었고, 무엇보다도 현실과 꿈 사이의 경계가 희미해졌습니다.

마지막으로, James는 우리에게 자신의 경험을 통해 상상력과 꿈이 얼마나 중요한지를 상기시켜줍니다. 우리는 모두 용기를 가지고 우리 안의 모험가로 거듭날 수 있으며, 상상력을 통해 새로운 세계를 발견할 수 있다는 것을 기억해야 합니다.

그리고 James의 모험은 끝이 아닙니다. 우리는 항상 새로운 모험을 찾아 나서고, 우리 안의 James와 함께 끝없는 이야기를 만들어 나갈 것입니다. 함께 여행하는 동안 우리는 항상 우리 안의 모험가로 남을 것입니다.